Margot l'escargot

Barnabé le scarabée

Huguette la guêpe

Mireille l'abeille

César le lézard

Luce la puce

Lorette la pâquerette

Léonard le têtard

Merlin le merle

Oscar le cafard

Luna la petite ourse

Camille la chenille

Solange la mésange

Cyprien le chien

Adrien le lapin

Loulou le pou

Prosper le hamster

Grace la limace

Ursule la libellule

Gabriel le lutin de Noël

Benjamin Père Noël du jardin

Georges le rouge-gorge

Lulu la tortue

Théo le mulot

Gallimard Jeunesse/Giboulées
Sous la direction de Colline Faure-Poirée
et Hélène Quinquin
Direction artistique : Syndo Tidori

© Gallimard Jeunesse 1994
© Gallimard Jeunesse 2016 pour la nouvelle édition
ISBN : 978-2-07-507425-4
Premier dépôt légal : avril 1994
Dépôt légal : septembre 2017
Numéro d'édition : 326947
Loi n° 49956 du 16 juillet 1949 sur
les publications destinées à la jeunesse
Imprimé en France par Pollina - 81914G

Les drôles de petites bêtes

Belle la coccinelle

Antoon Krings
Gallimard Jeunesse Giboulées

Il était une fois, dans un merveilleux jardin, une petite coccinelle qui s'appelait Belle, parce qu'elle était belle comme une fleur, et plus sage qu'une image.

Sa mère, madame la coccinelle, pouvait en être fière : jamais elle ne désobéissait, jamais elle ne mentait. Tous les insectes du jardin disaient lorsqu'elle passait : « Quelle adorable demoiselle ! »

Un jour, Belle se posa par mégarde sur le nez crochu d'une vieille femme tombée du ciel. Ce nez, vous l'avez compris, était celui d'une sorcière qui n'aimait pas, mais alors pas du tout, qu'on vienne le lui chatouiller.

«Je veux que tu deviennes la plus laide
des coccinelles, et que ton cœur soit
plus noir que les taches que tu portes!»
Puis elle secoua sa longue cape, avant
de disparaître.

Ainsi le sort s'accomplit. Belle devint vraiment très vilaine. Son petit nez poussa de façon disgracieuse, et ses cheveux étaient si raides qu'aucun peigne ne pouvait les coiffer.

À la maison, ce qui faisait pleurer
sa mère, ce n'est pas tant que Belle
enlaidissait, mais c'est surtout qu'elle
mentait et lui désobéissait.
– Qu'ai-je fait au bon Dieu pour avoir
une telle fille… ?
– Rien du tout. Bête à bon Dieu j'étais,
bête et méchante je suis ! répondait
la vilaine en sifflotant.

À tous ses amis les insectes du jardin, elle faisait des grimaces, ou leur jouait des mauvais tours. La chenille, excédée, la menaçait :
« Si je t'attrape, je vais te donner une fessée, sale petite peste ! »

Mais Belle se moquait bien des fessées
et des menaces de ses vieux amis car,
depuis, elle s'en était fait de nouveaux
qu'elle adorait : Dolly, la grosse araignée,
et Tony, le crapaud baveux.

Or, une nuit, une fée apparut.
Elle portait une robe brodée d'étoiles
qui scintillaient à chacun de ses pas.
Sur un tapis de fleurs, elle s'assoupit.
– Regardez! Une fée! Volons-lui sa
baguette magique! dit Tony.
– Oh oui, volons-lui! reprit Dolly.

Aussitôt dit, aussitôt fait. Mais,
dès qu'ils eurent touché la baguette,
Tony se transforma en carotte et
Dolly, en lapin qui aimait les carottes.
Quant à notre coccinelle...

… la fée lui réserva un autre sort. En un clin d'œil, Belle retrouva la gentillesse et la beauté que la sorcière lui avait enlevées.

– Maman ! Maman ! s'exclama-t-elle. Je suis redevenue comme avant !

– Ma douce petite fille, répondit sa mère en pleurant de joie.

Ainsi, à partir de ce jour, tous vécurent
en paix dans ce merveilleux jardin.
Et, si une coccinelle se pose sur votre
main, surtout ne la chassez pas.
Faites plutôt un vœu. Je suis sûr
qu'il se réalisera.

Marie
la fourmi

Louis
le papillon
de nuit

Frédéric
le moustique

Antonin
le poussin

Juliette
la rainette

Odilon
le grillon

Pasca...
la cig...

Valérie la
chauve-souris

Benjamin
le lutin

Patouch
la mouche

Adèle
la sauterelle

Siméon
le papillon

Henri
le canari

Nora peti...
de l'Opé...

Noémie
princesse
fourmi

Gaston
le caneton

Victor
le castor

Pierrot
le moineau

Édouard
le loir

Pat
le mille-pattes

Belle
la coccin...

Bob le
bonhomme
de neige

Blaise
et thérèse
les punaises

Maud
la taupe